6 这是我的书 It's MY BOOK 6级：300字

松树本事大

作者：程以克（Vicki Cheng）
配图：秦志宁（Zhining Chin）

北京语言大学出版社
BEIJING LANGUAGE AND CULTURE UNIVERSITY PRESS

PHOENIX TREE
PHOENIX TREE PUBLISHING INC.

识 读 黑土 水 干净
树林 片

句 型 像……一样

字 数 303字

sōng shù de běn shi kě dà le tā zhǎng de yòu
松树的本事可大了！它长得又
gāo yòu dà zhí zhí de zhàn lì zài shān shang sōng shù de
高又大，直直地站立在山上。松树的
shù yè zhǎng de xiàng zhēn yí yàng jiào sōng zhēn
树叶长得像针一样，叫“松针”。
dōng tiān hěn duō shù de shù yè
冬天，很多树的树叶
dōu diào le zhǐ yǒu sōng zhēn bú
都掉了，只有松针不
pà lěng hái shi
怕冷，还是
lǜ lǜ de
绿绿的。

hěn duō xiǎo sōng zhēn huì cóng shù shang diào dào dì
很多小松针会从树上掉到地

shang màn màn biàn chéng hēi sè de tǔ rǎng
上，慢慢变成黑色的土壤。

zhè yàng de hēi tǔ li bié de shù mù huā cǎo
这样的黑土里，别的树木花草
zhǎng bu chū lái sōng shù hái kě yǐ cóng hēi tǔ li
长不出来，松树还可以从黑土里
dé dào shuǐ fèn
得到水分。

sōng shù de guǒ zi shì sōng guǒ tā men yào
松树的果子是松果。它们要
zài shù shang shēng zhǎng yì nián dào liǎng nián gè gè
在树上生长一年到两年，个个
zhǎng de pàng pàng de sōng guǒ li yǒu hěn duō yóu
长得胖胖的。松果里有很多油。
sōng yóu zài kōng qì zhōng fā chū xiāng wèi ràng kōng qì
松油在空气中发出香味，让空气
biàn de gèng gān jìng
变得更干净。

sōng guǒ lǐ miàn de yóu pèng dào léi diàn hěn
松果里面的油碰到雷电很
róng yì shāo qi lai dà huǒ huì shāo diào hěn duō shù
容易烧起来，大火会烧掉很多树
mù dàn nà xiē huó xia lai de shù huì gèng dà gèng
木，但那些活下来的树会更大更
gāo dà de sōng shù néng zhǎng dào bā shí mǐ gāo
高。大的松树能长到八十米高，
lǎo de sōng shù néng huó dào yì qiān duō nián
老的松树能活到一千多年。

fēng lái le sōng guǒ lǐ miàn de zhǒng zi bèi
风来了，松果里面的种子被
chuī luò dào dì shang xiǎo sōng shǔ hé xiǎo niǎo huì bǎ
吹落到地上。小松鼠和小鸟会把
zhǒng zi dài dào hěn duō dì fang xīn de sōng shù huì
种子带到很多地方。新的松树会
zhǎng chu lai dà piàn de xiǎo sōng shù hěn kuài jiù huì
长出来，大片的小松树很快就会
zhǎng chéng shù lín
长成树林。

sōng shù lín bǎ wǒ men zhōu wéi dǎ ban de lǜ lǜ
松树林把我们周围打扮得绿绿

de hěn hǎo kàn sōng shù de běn shi zhēn dà a
的，很好看。松树的本事真大啊！

1 松树的本事可大了！它长得又高又大，直直地站立在山上。松树的树叶长得像针一样，叫“松针”。冬天，很多树的树叶都掉了，只有松针不怕冷，还是绿绿的。

2 很多小松针会从树上掉到地上，慢慢变成黑色的土壤。

3 这样的黑土里，别的树木花草长不出来，松树还可以从黑土里得到水分。

4 松树的果子是松果。它们要在树上生长一年到两年，个个长得胖胖的。松果里有很多油。松油在空气中发出香味，让空气变得更干净。

5 松果里面的油碰到雷电很容易烧起来，大火会烧掉很多树木，但那些活下来的树会更大更高。大的松树能长到八十米高，老的松树能活到一千多年。

6 风来了，松果里面的种子被吹落到地上。小松鼠和小鸟会把种子带到很多地方。新的松树会长出来，大片的小松树很快就会长成树林。

7 松树林把我们周围打扮得绿绿的，很好看。松树的本事真大啊！

1

2

3

4

5

6

看图讲故事

7